Para Olivia

LITERATURA**SM**•COM

Título original: *Ella the Elegant Elephant*
Traducción del inglés: Lucía Álvarez

Edición ejecutiva: Gabriel Brandariz
Coordinación editorial: Teresa Tellechea

Diseño del libro: Steven d'Amico y David Saylor

Publicado por primera vez en Estados Unidos por Arthur Levine Books,
un sello de Scholastic Inc. Publishers

© del texto y las ilustraciones: Carmela y Steven d'Amico, 2004
© Scholastic Inc., 2004
© Ediciones SM, 2007, 2016
   Impresores, 2
   Parque Empresarial Prado del Espino
   28660 Boadilla del Monte (Madrid)
   www.grupo-sm.com

ATENCIÓN AL CLIENTE
Tel: 902 121 323 / 912 080 403
clientes@grupo-sm.com
e-mail: clientes@grupo-sm.com

ISBN: 978-84-675-8775-3
Depósito legal: M-9171-2016
Impreso en la UE / *Printed in EU*

ella

la elefanta elegante

carmela y steven d'amico

En algún lugar del inmenso océano Índico, se encuentran
las Islas Elefante, ocultas por una niebla tan espesa
que ningún ser humano las ha podido encontrar aún.

En una de las islas vivía una pequeña y tímida elefanta
llamada Ella. A Ella le gustaba mucho la nueva pastelería de su madre
y su acogedor apartamento encima de ella.
Pero las dos eran nuevas en la ciudad
y Ella estaba preocupada.

El colegio empezaba en solo dos días.

Y Ella estaba nerviosa con la idea de hacer nuevos amigos.

Así que su madre le sugirió que hiciese algo constructivo,
pero Ella no sabía qué hacer.

—Bueno, todavía hay algunas cosas por colocar.
¿Por qué no me echas una mano mientras esperamos
a que se enfríen estas galletas?

A Ella no le pareció que aquello sonase muy divertido,
pero no se le ocurría nada mejor que hacer.
–Está bien –dijo Ella, y bajó detrás de su madre
por las escaleras.

La primera cosa que encontró Ella fue
una polvorienta sombrerera de madera.
Una tarjeta pegada a la tapa decía:
PARA: Ella
DE: La abuela
Ella abrió la caja:
—¡Mamá! ¡Mira!

13

—¡Ah, sí! —dijo su madre—. Recuerdo muy bien ese sombrero.
La abuela solía llamarlo "mi sombrero de la suerte".
Era muy especial para ella.
Estoy segura de que por eso decidió regalártelo.
Ella sujetó el sombrero mientras lo miraba
y luego se lo puso en la cabeza.
—¡Me encanta! ¡Me encanta! —exclamó entusiasmada.

El primer día de clase
Ella vestía igual que el resto de elefantes.
Excepto por una cosa...

Ella llevaba puesto su sombrero.

La profesora le preguntó si no le importaba sentarse
en el pupitre de la última fila, para que no tapase la vista
de la pizarra a sus compañeros de clase.

Cuando ya estaban todos en clase, la señorita Briggs dijo:
—Este año se nos ha unido una nueva estudiante.
Ella, ¿puedes venir aquí delante y contarnos algo sobre ti?
¡Ella no se esperaba aquello! Sintió que se ponía roja.
Tomó aire y avanzó por el pasillo. Pero, por el camino,
alguien le puso la zancadilla, tropezó y se cayó,
aterrizando sobre su tripa.

—¡Belinda Blue! —gritó la señorita Briggs—. ¡Lo he visto!
¡Has sido tú!
Belinda se echó sobre el pupitre.
—No quería hacerlo —respondió.

En el recreo, Ella se sentó sola,
esperando que alguien
la invitase a jugar.
Pero nadie lo hizo.

Entonces Belinda Blue, la elefanta más grande
de todo el colegio, se acercó a ella y le dijo:

–Tu sombrero es feo. Ni siquiera te pega con el uniforme.

–Sí –dijo Tiki, una amiga de Belinda, colocándose las gafas–.
Pero piensas que estás elegante con él.

Belinda gritó:

–¡Ya sé! La llamaremos Ella, "la elegante"

–¡Si! –rio Tiki–. ¡Ella, la elefanta elegante!

Cuando Ella llegó a casa,

su madre le preguntó cómo había ido el día.

—Horrible —dijo Ella—. Todo el mundo

se ha reído de mi sombrero.

—Bueno, porque no saben lo especial que es para ti.

Tal vez deberías decírselo.

—No quiero —dijo Ella.

Se sentía demasiado herida en sus sentimientos.

—Mi querida Ella —suspiró su madre—.

Las cosas mejorarán, te lo prometo.

Al día siguiente a mediodía,
Ella se sentó sola a comer su sándwich.

De pronto, algo le dio detrás de la cabeza:
era una gran pelota roja.
—¡Eh, Ella la elegante! —gritó Belinda—.
¿Quieres jugar a la pelota?

Ella no quería jugar a la pelota con Belinda,
pero tenía miedo de que si no lo hacía,
se burlasen aún más de ella. Así que dijo:
—De acuerdo —y le devolvió la pelota.

Pero Belinda no volvió a lanzar la pelota a Ella,
sino que la puso en lo alto del muro de seguridad
que rodeaba el patio del colegio y dijo:

–¿A que no subes y la coges?

–Pero eso va contra las normas –dijo Ella.

–Nadie está mirando –dijo enrabietada.

–Pero –dijo Ella– puede ser peligroso.

Belinda la miró furiosa:

–No, no es peligroso.

Simplemente tienes que subir y tirarla abajo.

No puede ser más fácil.

—Pues si es tan fácil —dijo Ella—, ¿por qué no lo haces tú?

Tiki y las demás se giraron y miraron a Belinda.

—Vale, lo haré. Pero tú no has pasado la prueba.

—dijo Belinda enfurecida.

Entonces se giró hacia sus amigas y gritó:

—¡Bueno, no os quedéis ahí! ¡Ayudadme a subir!

Una multitud empezó a congregarse;
todo el mundo se preguntaba
qué estaba pasando.

Así que Belinda empezó a hacerse notar,
pasándose la pelota de una mano a otra
y dando saltitos arriba y abajo sobre un solo pie.
—¡Mirad qué fácil es! —exclamó.
Pero con tanto brinco de aquí para allá,
Belinda perdió el equilibrio y...

... ¡resbaló!

¡Nadie sabía qué hacer!

Algunos corrieron a avisar a la profesora.

Otros se taparon los ojos.

Pero la mayoría simplemente se quedó quieta mirando.

Belinda empezó a llorar. Ella sintió pena:
tal vez Belinda no era tan dura como parecía.

Sin pensarlo dos veces, Ella trepó por el muro:

—¡Te ayudaré!

No estaba segura de cómo hacerlo, pero tenía que intentarlo.

Cuando Ella llegó arriba, dijo:

—A ver, agarra mi mano.

Belinda lo hizo y Ella empezó a tirar con todas sus fuerzas.

Pero como Ella era tan pequeña y Belinda tan grande...

... el peso de Belinda las arrastró a las dos por encima del borde del muro.

Cayeron...

... y cayeron...

y entonces...

... ¡ocurrió algo increíble!

¡Nadie —ni los elefantes que miraban desde el patio del colegio,
ni los elefantes que tomaban el sol en la playa,
ni siquiera Ella o Belinda— podía creerlo! ¡Estaban a salvo!

Cuando Ella llegó del colegio a casa,
le contó a su madre todo lo que había ocurrido.
Su madre la cogió en brazos y dijo:
—El sombrero de la abuela es realmente
el sombrero de la suerte.
Lo que hiciste fue muy valiente.
Pero debes prometerme algo, Ella.
Prométeme que no volverás a subirte al muro
nunca más.
Lo que pasó hoy fue mágico y no es algo
que pueda pasar dos veces.
—No te preocupes —dijo Ella—. Te prometo que no lo haré.

A la mañana siguiente,
Ella se levantó mucho más tarde de lo habitual.
Corrió durante todo el camino al colegio
pero así y todo no logró llegar a tiempo.
Cuando atravesó la puerta del aula,
¡no pudo creer lo que vio!

¡Incluso Belinda sonreía bajo el ala de su sombrero morado!
La señorita Briggs dijo:

—Como no podemos sentarnos todos en la última fila,
tengo que pediros que os quitéis los sombreros…
… tan solo durante la clase.
Entonces, todo el mundo se sentó.
Y cuando Ella miró a la pizarra, rio tímidamente…

Definitivamente, las cosas habían mejorado.